DYDDIADUR PWSI BERYGLUS

ANNE FINE

Dyddiadur PWSI BERYGLUS

Darluniau
Steve Cox

Addasiad
Gordon Jones

Dyddiadur Pwsi Beryglus
ISBN 978-1-84967-148-4

Cyhoeddwyd gan Rily Publications Ltd
Blwch Post 20,
Hengoed CF82 7YR

Addasiad gan Gordon Jones

Cyhoeddwyd gyntaf ym Mhrydain yn 1994 gan Hamish Hamilton Ltd,
Argraffnod o Penguin Books Ltd, 80 Strand, Llundain WC2R 0RL.
Cyhoeddwyd yn wreiddiol yn Saesneg fel *The Diary of a Killer Cat*.

Cysodwyd mewn 17/21 pt Bembo
gan Wasg Dinefwr, Llandybïe, Sir Gaerfyrddin

Argraffwyd a rhwymwyd ym Mhrydain
gan CPI Group (UK) Ltd, Croydon, CR0 4YY

Dymuna'r cyhoeddwyr gydnabod cymorth
Cyngor Llyfrau Cymru.

www.rily.co.uk

Cynnwys

1: DYDD LLUN

Ocê, ocê. Felly crogwch fi. Mi wnes i ladd y deryn 'na. Ond er mwyn y mawredd, *cath* ydw i, yntê? Fy *ngwaith* i ydi sleifio o amgylch yr ardd ar ôl twîti-wîtis pitw bach sy'n cael trafferth hedfan o un llwyn i'r llall. Felly be ydw i i fod i'w wneud os ydi un o'r peli bach pluog tila'n taflu ei hun i mewn i 'ngheg fach i? C'mon, bu bron iddi lanio ar fy mhawennau. Gallai fod wedi fy *mrifo*.

Ocê, *ocê*. Do, mi gafodd fonclust gen i. Ydi hynna'n ddigon o reswm i Elin bron â fy *moddi* wrth grio ar fy ffwr, a 'ngwasgu nes ro'n i bron â *thagu*?

'O, Twffyn!' meddai hi, yn ddagrau a llygaid coch i gyd a phentwr o hancesi papur gwlyb o'i hamgylch. 'O, Twffyn. Sut allet ti wneud *hynna*?'

Sut allen i wneud *hynna*? *Cath* ydw i. Sut wyddwn i y byddai cymaint o halibalŵ, a mam Elin yn rhuthro i nôl

darnau o bapur newydd, a thad Elin yn llenwi bwced â dŵr a sebon?

Ocê, *ocê*. Efallai na ddylwn i fod wedi'i lusgo i mewn a'i adael ar y carped. Ac efallai na fydd modd cael gwared o'r staen – byth.

Felly *crogwch* fi.

2: DYDD MAWRTH

Mi wnes i fwynhau'r angladd bach. Dwi ddim yn meddwl eu bod nhw am i mi fod yno, ond mae'n ardd i mi hefyd, yn tydi? Yn wir, mi fydda i'n treulio llawer mwy o amser yno na nhw. Fi ydi'r unig un sy'n ei hiwsio'n iawn.

Ond dwi'n cael dim diolch am wneud. Ddylech chi eu clywed nhw wrthi.

'Mae'r gath 'na'n *difetha* fy morder blodau i. Does dim petiwnias ar ôl.'

'*Newydd* blannu'r lobelia o'n i cyn iddi orwedd arnyn nhw a'u gwasgu'n fflat.'

‘*Pam* mae’n rhaid iddi dyllu yng nghanol blodau’r gwynt?’

Cwyno, cwyno, conan, conan. Pam maen nhw’n trafferthu i gadw cath os mai’r unig beth maen nhw’n ei wneud ydi cwyno amdani?

Pawb ond Elin. Roedd hi'n ffysian yn wirion am y deryn. Ei roi mewn bocs, a'i bacio mewn gwlân cotwm, wedyn tyllu twll bach cyn sefyllian o gwmpas, yn dweud ychydig eiriau i ddymuno pob lwc i'r deryn yn y nefoedd.

'Dos o'ma,' hisiodd tad Elin arna i. (Yr hen ddyn powld iddo.) Wnes i dim byd ond chwifio fy nghynffon arno. Mi gafodd y blinc gen i hefyd. Pwy mae o'n feddwl ydi o? Mae'n iawn i mi wylio angladd twîti bach, yn tydi? Wedi'r cyfan, ro'n i'n nabod y deryn yn well na nhw. Ro'n i'n ei nabod pan oedd yn *fyw*.

3: DYDD MERCHER

Rhowch chwip din i mi! Mi ddois â llygoden wedi marw i mewn i'w tŷ crand nhw. Wnes i ddim hyd yn oed ei lladd. Roedd ar ben arni cyn i mi ddod o hyd iddi. Does neb yn saff yn yr ardal hon. Mae'r holl stryd yn drwch o wenwyn llygod mawr, ac mae ceir yn rasio ar hyd-ddi bob awr o'r dydd, ac nid fi ydi'r unig gath o gwmpas chwaith. Dydw i ddim hyd yn oed yn gwybod be ddigwyddodd i'r creadur. Y cyfan dwi'n ei wybod ydi mai fi ffindiodd hi.

Roedd wedi marw'n barod. (Wedi marw, ond yn dal yn ffresh.) Ar y pryd ro'n i'n meddwl ei fod yn syniad da dod â hi adre. Paid â gofyn pam. Rhaid mod i wedi drysu. Sut wyddwn i y byddai Elin yn cydio yno' i a rhoi pregeth fach i mi.

'O, Twffyn! Dyma'r ail waith wsnos yma. Alla i ddim diodde'r peth. Dwi'n gwybod mai cath wyt ti, a bod gwneud hynna yn dy natur di. Ond plis, er fy mwyn i, paid â gwneud.'

Syllodd i'm llygaid.

Mi gafodd y blinc gen i. (Un da hefyd. Ond doedd hi'm isio gwybod.)

'Dwi *o ddifri*, Twffyn,' meddai hi. 'Dwi'n dy garu di, ac yn deall sut wyt ti'n teimlo. Ond rhaid i ti roi'r gorau i wneud hyn, ocê?'

Be allwn i ddweud? Roedd yn union fel petai hi'n gafael yn fy wisgers. Felly ceisiais edrych fel taswn i'n difaru. A dyna hi'n beichio crio eto, ac mi gawson ni angladd arall.

Mae'r lle 'ma'n troi yn hafan hwyl go iawn. Ydi wir.

Ocê, ocê! Mi driaf esbonio ynglŷn â'r gwningen.

I ddechrau, fydd neb byth yn gwybod cymaint o gamp oedd ei chael drwy'r fflap cath. Ddim yn hawdd *o gwbl*! Gwranda, gymerodd hi tua awr i mi gael y gwningen drwy'r twll bach 'na. Roedd hi'n eithriadol o *dew*. Mwy fel mochyn na bwni, ti'n gwybod.

Dim fod ots ganddyn nhw beth o'n i'n ei feddwl. Roedden nhw wedi drysu'n llwyr.

'Bygsi ydi hi!' sgrechiodd Elin. 'Bygsi drws nesa!'

'O'r annwyl!' meddai tad Elin. 'Dyma helynt. Be wnawn ni?'

Gwgodd mam Elin arna i.

'Sut *all* cath wneud hynna?' holodd. 'Wedi'r cyfan, nid deryn pitw mohoni, na llygoden, na dim. Mae'r gwningen 'na 'run maint â Twffyn. Y ddwy'n pwyso *tunnell*.'

O, diolch yn fawr. Ac mae'r rhain i fod yn *deulu* i mi? Wel, teulu Elin, ta beth. Os wyt ti'n deall be sy gen i.

A dyma Elin yn ei cholli hi'n llwyr, wrth gwrs.

'Mae'n erchyll,' llefodd. '*Erchyll*. Alla i ddim credu bod Twffyn wedi gwneud hynna. Mae Bygsi wedi byw drws nesa ers blynyddoedd a blynyddoedd.'

Iawn, roedd Bygsi'n ffrind. Ro'n i'n ei nabod yn dda.

Roedd Elin yn flin efo fi.

'Twffyn! Dyma'r diwedd. Druan â'r gwningen fach. Edrych arni!'

Ocê, dwi'n cytuno bod tipyn o olwg ar Bygsi. Mwd yn bennaf, yntê? Ac olion glaswellt. Ac roedd brigau bach a phethau eraill yn sownd yn ei ffwr. Ac roedd sglefr o olew dros un glust. Ond mae'n amhosib i rywun edrych fel petai wedi'i wisgo i fynd i barti ar ôl cael ei lusgo ar hyd gardd, a thrwy glawdd, ar draws gardd arall, ac yna drwy fflap cath oedd newydd gael ei iro, yn dydi?

A doedd Bygsi'n poeni dim am yr olwg oedd arni. Roedd hi wedi *marw*.

Ond roedd ots gan bawb arall. Ots *mawr*.

'Be wnawn ni?'

'O, mae hyn yn ofnadwy. Wnaiff Doris Drws Nesa fyth siarad efo ni eto.'

'Rhaid i ni feddwl am rywbeth.'

Ac fe wnaethon nhw. Rhaid dweud ei fod yn gynllun gwych a chlyfar iawn. Yn gyntaf, aeth tad Elin i nôl y bwced 'na eto, a'i lenwi â dŵr cynnes a sebon. (Wrth iddo wneud hynna syllodd yn rhyfedd arna i, gan drio gwneud i mi deimlo'n euog am ei fod o wedi gorfod rhoi ei ddwylo yn yr hen Fairy Liquid ddwywaith o fewn wythnos. Wel, mi gafodd o edrychiad 'be-di'r-ots-gen-i-mêt' yn ôl, yndô?)

Wedyn fe gafodd Bygsi ei throchi yn y bwced gan fam Elin a chael ei 'molchi a'i swilio'n braf yn yr ewyn. Trodd y dŵr yn lliw brown go hyll. (Yr holl fwd 'na.) Yna gwgodd y fam arna i wrth arllwys y dŵr i lawr y sinc a pharatoi bwcedaid arall o ddŵr a sebon glân, fel pe bawn *i* ar fai am y cyfan.

Fel arfer, snwffian wnaeth Elin.

'Er mwyn y mawredd rho'r gorau i hynna, Elin,' meddai ei mam.

'Mae'n mynd ar fy nerfau i. Os wyt ti am helpu, dos i nôl y sychwr gwallt.'

Felly llusgodd Elin ei hun i fyny'n grisiau, yn dal i feichio crio.

Ro'n i'n eistedd ar ben y dresel, yn edrych arnyn nhw.

Cafodd Bygsi, druan, fynd ar ei phen i mewn i'r bwced eto fyth. (Da o beth nad oedd hi'n fyw. Byddai hi wedi casáu'r holl olchi 'ma.) Pan oedd y dŵr yn glir fel crisial o'r diwedd, tynnwyd hi allan ac ysgwyd y dŵr oddi arni.

Wedyn fe wnaethon nhw ei sodro hi ar ddarn o bapur newydd a rhoi'r sychwr gwallt i Elin.

'Dyna ti,' medden nhw. 'Gwna hi'n fflwfflyd braf.'

Wel, does dim ots gen i ddweud wrthot ti iddi gael hwyl fawr arni. Gallai'r Elin 'na dyfu i fyny i fod yn ddynes trin gwallt benigamp. A dweud y gwir, wnes i 'rioed weld Bygsi'n edrych mor ddel o'r blaen, a finnau wedi'i gweld bob dydd dros yr holl flynyddoedd y bu'n byw drws nesa.

'Haia, Bygs,' fyddwn i'n ei ddweud, gan nodio arni, wrth fynd am dro bach ar draws y lawnt i weld a oedd tamaid o fwyd i'w gael ym mhowlenni'r tai eraill.

'Haia, Twff,' fyddai ei hateb, gan blycio'i thrwyn arna i.

Oedden, roedden ni'n fêts da. Yn ffrindiau pennaf. Ac felly roedd yn dda ei gweld yn edrych fel pin mewn papur ac yn grand i gyd ar ôl i Elin orffen ei gwaith.

Roedd hi'n edrych yn *wych*.

'Beth rŵan?' meddai tad Elin.

Edrychodd mam Elin yn annwyl arno – fel y bydd hi'n edrych arna i ambell waith, ond yn fwy annwyl na hynna.

'O na,' meddai ei gŵr wrthi. 'Nid fi. O na, na, na, na, na.'

'Mae'n rhaid i ti neu fi fynd,' meddai hi. 'Ac alla i ddim, na allaf?'

'Pam ddim?' holodd. 'Rwyt ti'n llai na fi. Byddai'n haws i ti gropian drwy'r gwrych na fi.'

Dyna pryd y sylweddolais beth oedden nhw am ei wneud. Ond beth allwn i ei ddweud? Sut allwn i eu stopio nhw er mwyn i mi *esbonio*?

Allwn i ddim. Dim ond cath ydw i.

Dim ond eistedd yno a gwylio wnes i.

5: DYDD GWENER

Roedd hi fwy neu lai'n ddydd Gwener gan eu bod nhw wedi gadael pethau mor hwyr. Roedd y cloc wedi hen daro hanner nos erbyn i dad Elin lusgo'i hun o'i gadair foethus o flaen y teli a mynd i fyny'r grisiau. Pan ddaeth i lawr roedd wedi'i wisgo mewn du. Yn ddu o'i gorun i'w sawdl.

'Rwyt ti'n edrych fel cath-leidr,' meddai mam Elin.

'Trueni na fyddai lleidr yn dwyn ein cath *ni*,' atebodd dan ei anadl.

Hy! Ei anwybyddu o wnes i. Dyna oedd gallaf.

Aeth y ddau at y drws cefn efo'i gilydd.

'Paid â rhoi'r golau allan ymlaen,' rhybuddiodd tad Elin. 'Does wybod pwy allai fod yn gwylio.'

Mi geisiais i sleifio allan yr un pryd, ond plannodd mam Elin ei throed o 'mlaen i.

'Gei di aros i mewn heno,' meddai wrtha i. ''Dan ni wedi cael digon o helbul gen ti yr wythnos hon.'

Digon teg. Ond mi ges i'r holl hanes yn nes ymlaen, beth bynnag, gan Bela a Teigar a Meri Mew. Mi ges i adroddiad gan bawb. (Maen nhw i gyd yn fêts da.) Roedd pob un wedi gweld tad Elin yn cripian ar draws y lawnt a'i fag plastig yn llawn o Bygsi (wedi'i lapio'n neis mewn tywel i'w chadw'n lân). Wedyn fe welson nhw fo'n gwthio drwy'r twll yn y clawdd, a chropian ar ei fol ar draws lawnt drws nesa.

'Doedd gen i ddim syniad *beth* oedd o'n neud,' meddai Meri Mew.

'Mae o wedi *difetha*'r twll yn y clawdd,' cwynodd Bela. 'Mae o'n ddigon mawr i rotweiler y Tomosiaid fynd drwyddo rŵan.'

'Mae'n rhaid fod y tad Elin 'na'n anobeithiol am weld yn y nos,' meddai Teigar. 'Fe gymerodd hydoedd iddo ddod o hyd i'r cwb yn y tywyllwch.'

'Roedd o wrthi am oesoedd yn agor y drws.'

'Ac yn stwffio Bygsi, druan, i mewn.'

'A'i gosod yn dwt ar ei gwely o wellt.'

'Yn grwn i gyd.'

'A'r gwellt yn gylch taclus o'i chwmpas.'

'Er mwyn iddi edrych fel petai'n cysgu.'

'Roedd yn edrych yn realistig iawn, iawn,' meddai Bela. 'Gallai fod wedi fy nhwyllo fi. Petai rhywun yn digwydd mynd heibio yn y tywyllwch, fydden nhw wir yn meddwl bod yr hen Bygsi, druan, newydd farw'n dawel yn ei chwsg yn hen ac yn hapus.'

Ar hynny dyma ni, gathod, i gyd yn dechrau mewian chwerthin.

'Hisht!' meddwn i. 'Gan bwyll, hogia. Wnân nhw'n clywed ni, a dwi ddim i fod allan heno. Rydw i fod dan glo.'

Syllodd pawb yn syn arna i.

'Dos o'ma!'

'Dan glo?'

'Am *beth*?'

'Llofruddiaeth,' meddwn i. 'Bwniladdiad mewn gwaed oer.'

Roedd hynna'n ddigon i wneud i ni floeddio chwerthin eto. Sôn am fewian a nadu! Y peth ola glywson ni wrth i'n giang ni sgrialu fel cathod i gythraul ar hyd Maesafallen oedd ffenest lloft yn cael ei gwthio ar agor, a thad Elin yn bloeddio, 'Sut est ti allan, y giaman gyfrwys?'

Felly beth oedd o am ei wneud? Hoelio'r fflap cath ynghau?

6: DYDD GWENER O HYD

Dyna'n union wnaeth o – hoelio'r fflap cath ynghau. Wyt ti'n gallu *deall* y dyn 'ma? Daeth i lawr y grisiau bore 'ma a dechrau arni â'i forthwyl a'i hoelion, ac yntau'n dal yn ei byjamas.

Bang, bang, bang, bang!

Mi syllais yn gas arno, yn wirioneddol gas. Wedyn trodd ata i a dweud:

'Dyna fo. Dyna dy setlo di. Mae'n swingio'r ffordd *yma*—' meddai, gan gan wthio'r fflap yn galed â'i droed. 'Ond wnaiff o ddim swingio'r ffordd *arall*.'

A, gwir y gair, wnâi'r fflap ddim swingio'n ôl i mewn i'r tŷ. Roedd hoelen yn ei rwystro rhag gwneud hynny.

'Felly,' meddai tad Elin, 'mi gei di fynd allan. A dweud y gwir, mae croeso i ti nid yn unig i fynd allan ond i aros allan, mynd ar goll, neu ddiflannu am byth. Ond petait ti'n digwydd dod 'nôl, paid ti â dod â dim byd efo ti. Oherwydd fflap un-ffordd ydi hwn rŵan, felly rhaid i ti eistedd ar y mat nes bydd un o'r teulu'n dy adael i mewn.'

Yna aeth ei lygaid yn gul ac yn gas iawn.

'A gwae ti, Twffyn, os oes unrhyw beth marw yn gorwedd ar y mat wrth dy ochr.'

'Gwae ti'! Am ddywediad twp. Beth ar y ddaear mae hynna'n ei feddwl, ta beth? 'Gwae ti'!

Wel, gwae *fo*, yntê?

Gwae ti, Twffyn!

7: DYDD SADWRN

Mae'n gas gen i fore dydd Sadwrn. Mae'n aflonyddu ar rywun, yr holl ffwdan a chlepian drysau ac 'Ydi'r pwrs gen ti?' a 'Lle mae'r rhestr siopa?' ac 'Ydan ni angen bwyd cath?' Wrth gwrs ein bod ni angen bwyd cath. Beth arall ydw i i fod i'w fwyta drwy'r wythnos? Awyr iach?

Ond roedden nhw i gyd yn ddistaw heddiw. Roedd Elin wrthi'n cerfio carreg fedd neis iawn allan o deilsen gorc. Arni roedd:

Bygsi
Gorffwys mewn hedd

'Paid ti â mynd â honna drws nesa eto,' rhybuddiodd ei thad. 'Nid nes i ni glywed gan Doris fod Bygsi wedi marw.'

Roedd llygaid Elin yn llawn dagrau. Mae rhai pobl wedi'i geni'n feddal, yn dydyn?

'Dyna hi Doris Drws Nesa'n mynd rŵan,' meddai mam Elin, gan edrych allan drwy'r ffenest.

'I ba gyfeiriad mae hi'n mynd?'

'Tuag at y siopau.'

'Da iawn. Os cerddwn ni y tu ôl iddi, gallwn fynd â Twffyn at y milfeddyg heb daro i mewn iddi.'

Twffyn? Milfeddyg?

Roedd Elin wedi dychryn mwy na fi. Taflodd ei hun at ei thad, a'i guro â'i dyrnau bach meddal.

'Na, Dad! Alli di ddim!'

Mi wnes i gwffio'n fwy ffyrnig efo fy ewinedd. Erbyn iddo 'nghael i allan o'r cwpwrdd tywyll o dan y sinc, roedd ei siwmper wlân yn rhacs a'i ddwylo'n sgriffiadau ac yn waed i gyd.

Doedd o ddim yn ddyn hapus iawn.

'Tyrd allan o fan'na, y siecopath mawr blewog. Dim ond jab ffliw wyt ti'n ei gael – gwaetha'r modd!'

Faset *ti* wedi'i gredu fo? Do'n i ddim yn hollol siŵr. (Nac Elin chwaith, gan iddi'n dilyn ni yno.) Ro'n i'n dal i fod yn ddrwgdybus pan gyrhaeddon ni le'r milfeddyg. Dyna'r *unig reswm* wnes i boeri at y ferch y tu ôl i'r ddesg. Doedd dim rheswm yn byd iddi nodi I'W THRIN Â GOFAL ar y daflen nodiadau amdana i. Doedd y geiriau I'W DRIN Â GOFAL ddim ar nodiadau rotweiler y Tomosiaid, hyd yn oed. Beth sy'n bod arna *i*, 'ta?

Felly ro'n i braidd yn flin yn yr ystafell aros. Mae'n *gas* gen i aros. Yn waeth na hynna, mae'n gas gen i aros mewn cawell cath. Mae'n gyfyng. Mae'n boeth. Ar ôl sawl can munud o eistedd yno'n ddistaw, fe fyddai *unrhyw un* wedi dechrau pryfocio'i gymdogion. Do'n i ddim wedi bwriadu dychryn y babi jerbil bach 'na o'i groen. Dim ond *edrych* arno wnes i. Mae'n wlad rydd, yn tydi? Siawns fod gan gath ryddid mond i *edrych* ar jerbil bach annwyl?

Ac os o'n i'n llyfu fy ngweflau (a do'n i ddim), dim ond sychedig o'n i. Wir yr. Nid smalio fy mod am ei fwyta fo o'n i.

Na, dydi jerbil bach ifanc fel'na ddim yn gallu cymryd *jôc*.

Ac roedd pawb arall yn y lle 'ma yr un peth.

Cododd tad Elin ei lygaid oddi ar y pamffledyn roedd yn ei ddarllen ar *Llyngyr a'ch Anifail Anwes*. (O, hyfryd. Hyfryd iawn.)

'Elin,' meddai, 'tro'r gawell i wynebu'r ffordd arall.'

A dyma Elin yn gwneud hynny.

Rŵan ro'n i'n edrych ar ddaeargi Pwll Glas. (Ac os oes unrhyw anifail ddylai gael I'W DRIN Â GOFAL ar ei nodiadau, daeargi Pwll Glas ydi hwnnw.)

Ocê, mi wnes i hisian arno. Dim ond yn ddistaw. Byddai angen clustiau bionig i *'nghlywed* i.

Ac mi wnes i chwyrnu fymryn. Mi faset ti'n disgwyl iddo wybod popeth am chwyrnu, yn baset? Ci ydi o, wedi'r cyfan. Dim ond cath ydw i.

A do, ocê, mi wnes i boeri fymryn. Ond dim ond ychydig bach. Fasai neb wedi *sylwi* heblaw bod y ci twp 'na wedi gorymateb.

Sut o'n i i wybod nad oedd o'n teimlo'n iach iawn? Dydi *pawb* sy'n aros i weld y milfeddyg ddim yn sâl. Do'n *i* ddim yn sâl, o'n i? Yn wir, dydw i erioed wedi bod yn sâl. Dwi ddim hyd yn oed yn gwybod sut *deimlad* ydi hynna. Hyd yn oed taswn i bron â *marw*, dwi'n siŵr na fyddai cael rhywbeth blewog wedi'i gloi'n saff mewn cawell, yn gwneud

sŵn pitw bach arna i'n gwneud i mi grio a swatio o dan gadair, a sgrialu i guddio y tu ôl i goesau fy mherchennog.

Roedd o'n debycach i *iâr* fach nac i ddaeargi Albanaidd, os wyt ti'n gofyn i mi.

'Wnewch chi reoli'r gath gythreulig 'na, os gwelwch yn dda?' meddai Misus Sgodyn Pwll Glas yn gas.

'Mae hi mewn cawell!' meddai Elin, yn achub fy nghroen.

Waaaaaaa!

'Mae hi'n codi andros o fraw ar yr anifeiliaid eraill. Allwch chi ddim rhoi rhywbeth dros ei chawell, wir?'

Gallwn synhwyro fod Elin yn bwriadu cega efo hi. Ond, heb hyd yn oed dynnu ei lygaid oddi ar ei bamffled llyngyr, dyma'i thad yn gollwng ei gôt law dros fy nghawell fel taswn i'n ddim ond hen racsyn o barot blêr.

Aeth popeth yn dywyll.

Doedd ryfedd, felly, mod i mewn hwyliau drwg pan ddaeth y milfeddyg â'i chwistrell fawr gas ata i. Do'n i ddim wedi bwriadu ei chrafu hi mor arw â hynna, chwaith.

Na chwalu'r poteli bach yn siwrwd.

Na moelyd ei chlorian pwyso cathod newydd, ddrud oddi ar y fainc.

Nac arllwys yr holl hylif glanhau 'na.

Ond nid fi rwygodd fy nodiadau yn ddarnau mân, ta beth. Y milfeddyg wnaeth hynna.

Roedd Elin yn ei dagrau eto pan adawon ni, ac yn cwtsio fy nghawell yn dynn ati.

'O, Twffyn! Nes ein bod ni'n cael milfeddyg newydd i ti, rhaid i ti ofalu peidio cael dy daro gan gar.'

'Gobaith mul!' chwyrnodd ei thad.

Wrthi'n gwgu arno o'n i pan welodd ei wraig yn sefyll y tu allan i'r archfarchnad, at ei phengliniau mewn bagiau siopa.

'Ti'n hwyr iawn,' dwrdiodd. 'Gawsoch chi drafferth yn lle'r milfeddyg?'

A dyma Elin yn dechrau beichio crio. Wel, sôn am *lipryn*. Ond roedd ei thad yn fwy cadarn. Roedd newydd dynnu anadl ddofn, yn barod i brepian amdana i, pan ollyngodd ei wynt allan eto. Roedd wedi gweld trwbwl o fath arall o gil ei lygad.

ARCHFAR
Ti'n hwyr!

'Brysiwch!' sibrydodd tad Elin. 'Mae Doris Drws Nesa yn dod allan heibio'r til.'

Cododd hanner y bagiau siopa. Cydiodd mam Elin yn y gweddill. Ond cyn iddyn nhw ddianc, roedd Doris eisoes wedi dod drwy'r drysau gwydr.

Felly doedd gan bawb ddim dewis ond cael sgwrs.

'Bore da,' meddai tad Elin.

'Bore da,' meddai Doris Drws Nesa.

'Diwrnod braf,' meddai tad Elin.

'Hyfryd,' cytunodd Doris.

'Yn well na ddoe,' meddai mam Elin.

'O, ydi,' atebodd Doris. 'Roedd ddoe yn *ofnadwy*.'

Mae'n debyg mai sôn am y tywydd oedd hi, er mwyn y mawredd. Ond cronnodd y dagrau yn llygaid Elin. (Dwn i ddim pam roedd hi mor hoff o

Bygsi. Wedi'r cyfan, *fi* ydi ei hanifail anwes, yntê?) Gan nad oedd Elin yn gallu gweld yn iawn trwy ei dagrau, baglodd dros ei mam, a chwympodd hanner y tuniau bwyd cath allan o'r bag siopa a rholio ar hyd y stryd.

Sodrodd Elin fy nghawell i'r llawr a rhedeg ar eu holau. Yna gwnaeth y camgymeriad o ddarllen y labeli ar y tuniau.

'O, naaa!' wylodd. 'Bwni Blasus!'

(Wir i ti, mae'r ferch fach 'na'n gymaint o *ddoli glwt*. Fyddai hi byth yn cael ymuno â'n giang ni. Fyddai hi ddim yn para *wythnos*.)

'Sôn am fwni,' meddai Doris Drws Nesa. 'Mae'r peth rhyfedda wedi digwydd yn ein tŷ ni.'

'Wir?' holodd tad Elin, gan wgu arna i.

BWNI
BLASUS
BWYD CATH

‘O, ie?’ meddai mam Elin, wrth i hithau wgu arna i hefyd.

‘Ie,’ atebodd Doris. ‘Ddydd Llun, roedd golwg go wael ar Bygsi, felly wnaethon ni ddod â hi i mewn i’r tŷ.

Erbyn dydd Mawrth roedd hi'n waeth. Wedyn bu farw ddydd Mercher. Roedd yn sobor o hen, ac roedd wedi cael bywyd hapus, felly doedden ni ddim yn teimlo'n rhy ddrwg. Yn wir, gawson ni angladd bach a'i rhoi mewn bocs a'i chladdu yng ngwaelod yr ardd.'

Ro'n i'n syllu i fyny ar y cymylau erbyn hyn.

'A dydd Iau, roedd hi wedi mynd.'

'Wedi mynd?'

'Wedi mynd?'

'Ie, wedi mynd. Yr unig beth oedd yn weddill oedd twll yn y ddaear a bocs gwag.'

'Ie, wir?'

'Rargol fawr!'

Roedd tad Elin yn edrych arna i yn llawn amheuaeth.

'Ac wedyn ddoe,' ychwanegodd Doris, 'digwyddodd rhywbeth mwy rhyfedd fyth. Roedd Bygsi yn ei hôl. Yn edrych yn fflwfflyd braf, 'nôl yn ei chwb.'

''Nôl yn ei chwb, meddech chi?'

'Yn fflwfflyd braf? Rhyfedd iawn.'

Rhaid eu canmol nhw, maen nhw'n actorion gwych. Wnaethon nhw ddal ati'r holl ffordd adre.

'Am stori anhygoel!'

'Sut yn y byd allai hynna fod wedi digwydd?'

'Od ar y naw!'

'Syfrdanol iawn!'

Nes oedden ni wedi dod drwy'r drws ffrynt. Wedyn, wrth gwrs, trodd y ddau arna i.

'Y twyllwr blewog!'

'Yn gwneud i ni feddwl mai ti a'i lladdodd hi!'

'Yn smalio drwy'r amser!'

'Ro'n i'n *gwybod* na allai cath wneud hynna. Roedd y gwningen hyd yn oed yn dewach na hi!'

Fasech chi'n meddwl y byddai wedi bod yn well ganddyn nhw petawn i *wedi* llofruddio'r hen Bygsi.

Pawb ond Elin. Roedd hi mor *annwyl*.

'Peidiwch chi â *meiddio* pigo ar Twffyn!' meddai wrthyn nhw. 'Gadewch lonydd iddi. Mi fetia i nad hi gododd Bygsi o'r ddaear chwaith. Mi fetia i mai hen ddaeargi milain, cas Pwll Glas wnaeth hynna. Y cyfan wnaeth Twffyn oedd gwneud yn siŵr ei bod hi'n cael ei chladdu'n iawn eto. Mae hi'n arwres. Arwres feddylgar a charedig.'

Rhoddodd gwtsh mawr i mi.

'Ydw i'n iawn, Twffyn?'

Dwi'n dweud dim, nac ydw. Cath ydw i. Felly dim ond eistedd yno wnes i, yn gwylio'r hoelen yn cael ei thynnu o'r fflap cath.

I ddod yn fuan . . .

www.rily.co.uk